To: ....

....

From: ....

365
dagar

med
Nalle Puh

365 dagar med Nalle Puh
Engelska originalets titel *365 Days with Winnie-the-Pooh*
Först utgiven i Storbritannien, 2006
av Egmont UK Ltd
239 Kensington High Street
London W8 6SA
Copyright © Trustees of the Pooh Properties

Texter av A. A. Milne och bilder av E. H. Shepard är hämtade och bearbetade från *Nalle Puh* och *Nalle Puhs hörna*,
i översättning av Brita af Geijerstam samt *När vi var mycket små* och *Nu är vi sex* i översättning av Britt G. Hallqvist.
Färgillustrationerna från *Nalle Puh* och *Nalle Puhs hörna* © 1970, 1973, 1974 E. H. Shepard och Egmont UK Ltd.
Färgillustrationerna från *Nu är vi sex* och *När vi var mycket små* © E. H. Shepard
och färgläggning Mark Burges ©1989 Egmont UK Ltd.

This edition © 2006 Trustees of the Pooh Properties
Book design © 2006 Egmont UK Ltd
ISBN 10: 91-638-4149-5
ISBN 13: 978-91-638-4149-1
Tryckt i Singapore 2006

www.bonniercarlsen.se

A.A.MILNE

365

dagar

med
Nalle Puh

BONNIER
CARLSEN

Januari 1

En vacker dag
när Nasse höll på att
skotta bort snön
från sin dörr, kom han
att se upp och fick syn
på Nalle Puh.

Januari 2

– Spår, sa Nasse. Märken efter tassar.
Han pep till av förtjusning. O, Puh.
Tror du, att det är en – en Tessla?

Januari 3

– *Vad då?* sa Nasse och hoppade till.
Och för att sedan visa, att han inte alls
blivit rädd, fortsatte han att hoppa
upp och ner ett par tre gånger
liksom för att motionera sig.

Januari 4

Antingen är det två Tesslor och en,
låt oss säga Tassla, eller också två, låt oss säga Tasslor,
och en, om det nu är det, Tessla.

Januari 5

Och så gick de vidare,
en smula ängsliga nu,
ifall de tre djuren framför dem
skulle vara fientligt sinnade.

Januari 6

… plötsligt stannade Nalle Puh igen och
svalkade sig om nosen med tungan, för han kände
sig hetare och räddare än någonsin förr i sitt liv.
Nu var det fyra djur framför dem.

Januari 7

Christoffer Robin klättrade ner från trädet.

– Dumma gamla Nalle, sa han, vad gjorde du egentligen?
Först gick du runt dungen två gånger ensam, och sen sprang
Nasse efter dig, och så gick ni båda runt tillsammans …

Januari 8

– Nu förstår jag, sa Nalle Puh.

– Jag har varit enfaldig och blivit lurad, sa han,
och jag är en björn utan någon hjärna alls.

Januari 9

– Du är den bästa björn
som finns i hela världen,
sa Christoffer Robin tröstande.
– Är jag det? sa Puh förhoppningsfullt.

Januari 10

– Jag är Tiger, sa Tiger.
– Jaså, sa Puh, för han hade aldrig förr sett ett sådant djur.

Januari 11

Tycker Tigrar om
honung?
– De tycker om allting,
sa Tiger förtjust.

Januari 12

– Hej! sa Puh.
– Hej! sa Tiger.
Jag har hittat en figur, som är precis lik mig.
Jag trodde jag var den enda av den här sorten.

Januari 13

– Tigrar tycker inte om honung.
– Inte! sa Puh, och försökte låta ledsen.

Januari 14

Jag trodde de tyckte om allting.

– Allting utom honung, sa Tiger.

Januari 15

Detta blev Puh ganska glad för och sa, att så fort han
hade ätit sin frukost skulle han ta med Tiger till Nasses hus,
och där skulle Tiger få smaka några av Nasses hållon.
– Tack, Puh, sa Tiger, för hållon är i själva verket
det som Tigrar tycker mest om.

Januari 16

– Hallå, Nasse. Det är Tiger.

– Jaså, är det det? sa Nasse
och slank runt bordshörnet.
Jag trodde att Tigrar var mycket mindre.

– Inte de stora, sa Tiger.

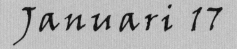

Januari 17

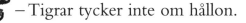

– Tigrar tycker inte om hållon.
– Men du sa ju, att de tyckte om allt
utom honung, sa Puh.
– Allting utom honung och hållon,
förklarade Tiger.

Januari 18

Nasse, som var ganska glad att Tigrar inte
tyckte om hållon sa:
– Nå, men tistlar då?
– Tistlar, sa Tiger, det är just vad Tigrar tycker bäst om.

Januari 19

I-or förde dem till det tistligaste tistelställe
man kan tänka sig, och viftade med hoven åt det.
– Några stånd som jag hade tänkt spara
till min födelsedag, sa han.

Januari 20

– Aj! sa Tiger.

– Din vän, sa I-or, tycks ha fått ett bi i munnen.

Puhs vän slutade att kasta med huvudet för att få taggarna

att lossna, och förklarade att Tigrar inte tyckte om tistlar.

Januari 21

Vad ska vi göra
med stackars lilla Tigger?
Om han ingenting äter
så blir han inte pigger.

Januari 22

– Vad är det där? viskade Tiger till Nasse.

– Hans stärkande medicin, sa Nasse.

Han kan inte med den.

Januari 23

Tigger gick närmare … Maltextraktet var borta.

– Han har tagit min medicin, han har tagit min medicin, han har tagit min medicin! sjöng Ru, som tyckte att det hela var ett *utomordentligt* lyckat skämt.

Januari 24

Vilket förklarar, att han hädanefter bodde kvar i
Kängus hus och åt maltextrakt
morgon, middag och kväll.

Januari 25

I-or, den gamla grå åsnan,
stod alldeles ensam bland tistlarna i skogen med frambenen
isär och huvudet åt ena sidan och tänkte på saker och ting.

Ibland tänkte han sorgset "Varför?"
och ibland tänkte han "Därför?"
och ibland tänkte han "Således?"
– och ibland visste han inte riktigt vad han tänkte.

Januari 27

– Hur står det till? sa
Nalle Puh.
I-or skakade sorgset
på huvudet.
– Det står inget vidare till,
sa han. Det har inte
stått vidare till
på länge nu.

Januari 28

– Hör du, vad har hänt
med din svans? sa han förvånad.
Ja, vad har hänt med den? sa I-or.
Den finns inte.
– Är du säker på det?

Januari 29

– Ja, antingen finns det en svans eller också *inte*.
Det kan man inte ta fel på.
Och din finns inte.

Januari 30

– Där har vi felet, sa I-or. Det förklarar allting.
Undra på det.

Januari 31

– I-or, sa han högtidligt, jag,
Nalle Puh, ska ta rätt
på din svans.

Februari 1

Ugglan bodde i Kastanjevillan,
ett förtjusande gammaldags
residens, som var ståtligare
än någon annans,
åtminstone tyckte Puh det,
för det hade både en klocksträng
och en portklapp.

Februari 2

Under portklappen satt ett
anslag, som löd:
VAR GOD RING OM
NI ÖNNSKAR SVR.
Under klocksträngen satt
ett anslag som löd:
VAR GOD KNCKA OM
NI EJ ÖNNSKAR SVR.

Februari 3

– God dag, Puh, sa han. Hur står det till?
– Eländigt och trist, sa Puh, för I-or, som är en av mina
vänner, har tappat sin svans.

Februari 4

– Tja, sa Ugglan,
de brukliga förfaringssätten
i dylika fall är följande.

Februari 5

– Vad betyder gruvliga chokladrätten egentligen?
frågade Puh.

Februari 6

−Vacker klocksträng,
inte sant, sa Ugglan.
Puh nickade.
− Den påminner mig om
nånting, sa han, men jag kan
inte komma på,
vad det är.

– I-or, min käre vän I-or.
Han – han var mycket
förtjust i den.
– Förtjust i den?
– Fästad vid den, sa Nalle
Puh sorgset.

Februari 8

Och när Christoffer Robin hade spikat fast den på sin rätta plats igen, skuttade I-or omkring i skogen och viftade så förtjust med svansen …

Februari 9

Vem fann svansen?
Jag, å–hå
en kvart i två!
(I själva verket var klockan bara en kvart i elva.)
Jag fann svansen.

Februari 10

Det var rätta dagen att organisera någonting och att skriva ett Meddelande undertecknat Kanin eller att höra efter vad Alla Andra tyckte om saken

Februari 11

Utgången. Tillbaks
i-Jensen.
Upptagen. Tillbaks
i-Jensen.
C.R.

– Aha, sa Kanin igen, det måste jag
tala om för de andra.

Februari 12

Uggla tittade på lappen igen.
För en som var så beläst som han,
var tydningen lätt. "Utgången. Tillbaks i Jensen.
Upptagen. Tillbaks i Jensen."

Februari 13

Christoffer Robin har gått ut med någon som heter Jensen. Han och Jensen har ett arbete tillsammans. Har du sett nån Jensen i skogen på sista tiden?

Februari 14

– Jo, saken är den, har du sett Fläckiga och
Gräsätande Jensen nånstans i skogen?
– Nej, sa Puh. Inte en – nej, sa Puh.
Jag såg Tiger nyss.

Februari 15

–Vad skulle du göra, om ditt hus hade blåst omkull?
Innan Nasse hann tänka, hade Puh svaret färdigt.
– Han skulle komma och bo hos mig, sa Puh,
skulle du inte det, Nasse? Nasse klämde hans tass.

Februari 16

−Vi åt frukost tillsammans
i går. Vid Tallarna.
Jag gjorde i ordning en
liten korg, en liten lagom
större korg full med …

Februari 17

Så han skyndade ut igen och sa:
– I-or, violer och sedan:
– Violer, I-or,
ifall han skulle glömma bort det…

Februari 18

–Vet du vad A betyder, lilla Nasse?

– Nej, I-or, det gör jag inte.

– Det betyder Kunskap, det betyder Bildning,

det betyder alla de saker,

som Puh och du inte har. Det är vad A betyder.

Februari 19

– Ett A, sa Kanin, men det är inte
så värst likt ett A.

Februari 20

–Vad Christoffer Robin gör om morgnarna?
Han läser. Han Bildar sig. Han inskramlar – jag tror
det var det ordet han nämnde.

Februari 21

Först gick Puh och Kanin och Nasse tillsammans och
Tiger sprang runt dem i cirklar och sedan,
när stigen blev smalare, gick Kanin, Nasse och Puh
efter varandra, och Tiger sprang runt dem i ovaler.

Februari 22

Och när de kom högre upp
blev dimman tätare,
så Tiger försvann ideligen,
men just som man trodde
att han inte fanns där,
dök han upp och sa:
– Skynda på, hör ni, och
innan man hann svara,
var han borta.

Februari 23

Nasse gick fram till Puh.

– Puh, viskade han.

– Ja, Nasse?

– Ingenting, sa Nasse och tog Puhs tass.

Jag ville bara veta var jag har dig.

Februari 24

Och den Lilla och
Sorgsna Kaninen rusade genom
dimman mot ljudet,
och ljudet förvandlades plötsligt
till en Tiger…

Februari 25

– Aha, sa Puh (Ram-tam, tiddel-am-tam), om jag
vet nånting om nånting, så betyder det här hålet
Kanin, sa han, och Kanin betyder sällskap,
sa han. Så böjde han sig ner, stack in huvudet
i hålet och ropade:
– Är det nån hemma?

Februari 26

– Nej, sa en röst och tillade: För resten behöver
du inte skrika så högt.
Jag hörde dig mycket väl första gången.

Februari 27

– Säg, skulle du vilja vara snäll och tala om för mig, var Kanin håller hus?

– Han har gått och hälsat på Björnen Puh, som är en av hans bästa vänner.

– Men det är ju jag, sa Puh mycket förvånad.

– Vilken Jag?

– Björnen Puh.

Februari 28
(och kanske februari 29)

– Kanske det, sa Puh.
Ibland ser det så ut
och ibland inte.

Mars 1

Puh tyckte alltid om att äta
lite grand klockan elva
på morgonen.
Så när kanin frågade:
– Honung eller mjölk
till brödet? blev han så förtjust,
att han svarade:
– Bägge delarna.
Men för att det inte skulle
verka glupskt tillade han:
Men gör dig inte besvär
med något bröd för min skull.

Mars 2

Och så sa han ingenting
på en lång, lång stund…
inte förrän han slutligen steg upp
och gnolade för sig själv med en ganska
tjock röst, skakade tass med Kanin och sa,
att han absolut måste gå.
– Måste du det? sa Kanin artigt.

Mars 3

– Hjälp! sa Puh, det är bäst, att jag kryper tillbaka.

– Usch, sa Puh, jag måste framåt.

– Jag kan inte nåndera delen, sa Puh. Usch och hjälp.

Mars 4

– Faktum är, sa Kanin,
   att du sitter fast.
– Det här är följden,
   sa Puh förargat,
   av att ha för
   trånga dörrar.
– Det här är följden,
   sa Kanin strängt,
av att äta för mycket.

Mars 5

– Hur lång tid tar det
att bli smal?
frågade Puh ängsligt.
– Jag skulle tro omkring
en vecka.
– Men inte kan jag stanna här
en vecka.
– Stanna kan du nog,
dumma gamla Nalle.
Det är att komma härifrån
som är så svårt.

– Skulle du vilja läsa
en uppbygglig bok
– en som kan hjälpa
och trösta
en beklämd Björn
i stort trångmål?

Mars 7

Alla drog de tillsammans.
Och en lång stund sa Puh bara
"Oj!"och "Aj!".
Och så helt plötsligt sa han "Plupp!"
precis som en kork
som åker ur en butelj.

Mars 8

Piddel-i, Piddel-i, Piddel-i Pej.

Lappar på lappar och söm finns det ej.

Frågar du gåtor, så svarar jag dej:

Piddel-i, Piddel-i, Piddel-i Pej.

Mars 9

Piddel-i, Piddel-i, Piddel-i Pej.

En fisk kan ej vissla, och jag kan det ej.

Frågar du gåtor, så svarar jag dej:

Piddel-i, Piddel-i, Piddel-i Pej.

Mars 10

Det är konstigt det där
med min honungsburk,
för jag vet att jag hade
en honungsslurk,
för den stod i en burk
– det stod skrivet på
min HÅNING.

Mars 11

Och han fann
en liten burk
med kondenserad mjölk,
och som han anade
att Tigrar inte tyckte om
sådant, ställde han burken i
ett hörn för sig själv,
och gick för säkerhets skull
dit han också.

Mars 12

När han kom närmare, sa honom hans näsa,
att det säkert var honung, och han räckte ut tungan
och slickade sig om munnen beredd att börja.

Mars 13

– Nej men, sa Puh, när han fått in nosen i burken,
en Heffaklump har varit här och ätit av den.
Men så tänkte han en liten stund och sa:
Nej visst, det var ju jag själv. Det hade jag glömt.
Han hade faktiskt ätit upp så gott som alltsammans.
Men det fanns en liten smula kvar på botten
av burken, och han körde in hela huvudet
och började slicka…

Mars 14

Hela tiden hade
Nalle Puh försökt få
honungsburken av huvudet,
men ju mer han ansträngde sig,
desto hårdare satt den fast.
– Åhå ja ja, sa han inuti burken
och ibland sa han: Hjälp,
och mest sa han: Aj.

Mars 15

– Heff, sa Nasse,
som var så andfådd,
att han knappt kunde tala,
en Heff – en Heff –
en Heffaklump.
– Var?

Mars 16

– Titta där, sa Nasse, är det inte hemskt.
Och han kramade hårt Christoffer Robins
hand. Plötsligt började Christoffer Robin
skratta… Och medan han ännu höll på
med att skratta – Pang –
slog Heffaklumpens huvud mot trädroten,
i kras gick burken,
och ut kom Puhs huvud.

– Kära Nalle, sa Christoffer
Robin, vad jag tycker
mycket om dig.
– Det gör jag med, sa Puh.

Mars 18

– Ru har trillat i! skrek Kanin, och han och Christoffer
Robin kom rusande ner för att rädda Ru.
– Titta jag simmar! pep Ru från mitten av dammen
och åkte nerför ett vattenfall till nästa damm.

Mars 19

I-or hade vänt sig om
och doppade ner svansen
i den första dammen,
som Ru trillat i, och med
ryggen åt olyckan stod
han och muttrade tyst för
sig själv och sa:
– Allt det där blaskandet!
Men hugg tag i min
svans, lilla Ru, så blir allt
bra igen.

Mars 20

I-or satt med svansen i vattnet, när de kom tillbaka.
– Säg åt Ru, att han skyndar sig, sa han.
Jag blir så kall om svansen.
Jag ville inte säga det, men jag säger det i alla fall.
Inte för att jag vill klaga, men så är det.
Jag fryser om svansen.

Mars 21

En svans
är ingen svans för de andra,
det är bara en Extra Liten Stump
där bak.

Mars 22

– Just vad jag befarade, sa han.
Alldeles tappat känseln. Totalt avdomnad.
Tja, om ingen bryr sig om det, så antar jag,
att det bara är som det ska.

Mars 23

Här har vi Teddy Björn.
Han kommer nerför
trapporna
– duns, duns, duns,
med huvudet före
– efter Christoffer
Robin. Detta är det
enda sätt han vet att
komma nerför
trapporna...

Mars 24

… men ibland känner han på sig,
att det måste finnas något annat sätt också,
om han bara kunde sluta upp att dunsa ett
enda ögonblick och tänka efter – men för resten
kanske det inte finns det. Nu är han i alla fall
nere och klar att bli presenterad
för dig. Nalle Puh.

Mars 25

– Nasse, sa Kanin och tog fram sin
penna och slickade på den,
du är inte vidare modig.
– Det är svårt att vara modig,
sa Nasse och snyftade en smula,
när man är ett mycket litet djur.

Mars 26

– Du menar Nasse.
Den där lilla gynnaren
med de ivriga öronen.

Mars 27

Hur såg en Heffaklump ut? Var den farlig?
Kom den verkligen, när man visslade?
Och hur kom den?
Tyckte den alls om grisar?

Mars 28

Då fick han en snillrik idé.
Han skulle smyga tyst till Tallarna
och försiktigt kika ner i fällan och se, om det
fanns någon Heffaklump i den. Och om det fanns
en, skulle han gå hem och lägga sig,
och om det inte fanns en,
skulle han låta bli.

Mars 29

– Hjälp, hjälp, skrek Nasse,
en Heffaklump, en hiskelig Heffaklump.

Mars 30

– Det är litet ängsligt,
sa han för sig själv,
att vara Ett Mycket
Litet Djur
Helt och Hållet
Omgivet av Vatten.

Mars 31

Då kom han plötsligt ihåg en historia,
som Christoffer Robin hade berättat för honom,
om en man på en öde ö,
som hade skrivit någonting i en flaska
och kastat den i sjön…

April 1

Och på ena sidan av papperet skrev han:

HJÄLP!

NASSE (MEJ)

och på andra sidan:

DET ÄR NASSE, HJÄLP HJÄLP!

April 2

Så stoppade han papperet
i flaskan och korkade till den...
och så lutade han sig ut
genom fönstret
så långt han kunde,
och kastade flaskan
så långt han kunde
– PLASK!

April 3

... han stirrade efter den,
när den långsamt flöt bort i fjärran,
... och så plötsligt visste han,
att han aldrig mera skulle få
se den igen, och att han gjort allt
han kunde för sin räddning.

April 4

Och så suckade han djupt och länge och sa:
– Jag önskar att Puh vore här.
Det är bra mycket trevligare att vara två.

April 5

— Det här var allvarligt, sa Puh. Jag måste rädda mig.
Och så tog han sin största burk med honung och räddade
sig med den ut på en kraftig trädgren högt över vattnet ...

April 6

– Om en flaska kan flyta, så kan en burk
också flyta, och om en burk kan flyta,
så kan jag sitta på den, om det är
en mycket stor burk.

April 7

Och så tog han den största burken han hade
och korkade den.
– Alla båtar måste ha ett namn, sa han,
jag kallar min *Den Flytande Björnen*.

April 8

Först var Puh och *Den Flytande Björnen* inte riktigt på
det klara med vem som skulle vara överst, men då de
hade provat några olika ställningar beslöts det,
att *Den Flytande Björnen* skulle vara under, och Puh satt
triumferande grensle på den och paddlade med fötterna.

April 9

– Nå Puh, sa Christoffer Robin,
var har du din båt?

April 10

Ibland är det en båt, och ibland
är det närmast en Olyckshändelse.
Det beror alldeles på.
– Beror på vad?
– Om jag är över eller under den.

April 11

Puh klev i.
Han skulle just till att
säga att det gick bra,
då han märkte,
att det inte gjorde det,
och sedan han
fått en kallsup,
som han egentligen
inte velat ha,
vadade han tillbaka till
Christoffer Robin.

April 12

Ni kan tänka er,
hur glad Nasse blev,
då skeppet äntligen
kom inom synhåll.
Ännu många år efteråt
försökte han inbilla sig,
att han varit
i mycket stor fara
under de förfärliga
översvämningarna.

April 13

3 leven för Puh!
(*Vad nu?*)
För Puh –
(*Men vad gjorde väl Puh?*)
Har du glömt det nu,
han rädda en vän ifrån vatten!
3 leven igen!
(*För vem?*)

April 14

För den
som plumsa i spat
och drog upp en kamrat.
(*Som drog upp vem?*)
Hör om igen!
Jag talar om Puh.
(*Vad nu?*)
Om Puh!
(*Jag glömde. Ja, det var katten.*)

April 15

Ja, Puh var en björn med Hjärna, min vän.
(*Säg om det igen.*)
Med Hjärna, min vän.
(*Men vad var det du sa?*)
Nå, han åt rätt bra
mest honung, som alla Björnar vill ha,
och han räddade Nasse på någon slags båt.
(*På vad, förlåt?*)
Nå, han blev lite våt.

April 16

Så låt oss nu hurra tre rungande leven
(*Så låt oss nu hurra – vad var det du sa, du?*)
och hoppas han alltid får honung i sleven.
Hurra för dig Puh, må du jämt få det bra, du!

April 17

3 leven för Puh!
(*Vad nu?*)
För Puh.
3 leven igen!
(*För vem?*)
För vår vän.
Hurra för den modiga
Björnen Puh!
(*Tala om för mig någon*
– vad gjorde
han nu?)

April 18

– God morgon, I-or, sa Puh.

– God morgon, Puh Björn, sa I-or dystert.

Om det är en god morgon, sa han.

Vilket jag betvivlar, sa han.

April 19

– När du vaknar på morgonen, Puh, sa Nasse slutligen,
vad är det första du säger till dig själv?

– Undrar vad vi får till frukost? sa Puh.
Vad säger du, Nasse?

– Jag säger: Jag undrar, vad det ska hända för något
spännande *i dag*?" sa Nasse.

Puh nickade tankfullt.

– Det är samma sak, sa han.

April 20

Vid frukosten samma morgon
(ett enkelt mål bestående av marmelad, bredd på ett par
honungskakor) hade han plötsligt kommit att tänka på en ny sång.

April 21

Sjung hej,
vad en Björn har det bra.
Sjung hej, vad en Björn har det bra.
Det gör mig ingenting, att himlen ej är blå,
för jag ska ha en honungsklick,
att inte säga två!

April 22

Det gör mig ingenting, vilket väder än det e'
för jag ska ha en honungsklick, att inte säga tre!
Sjung hej för en Puh!
Sjung hej och sjung hå!
För jag ska ha en matbit, om en timme eller två.

April 23

– Puh, sa Kanin vänligt,
du har inte mycket förstånd du.
– Jag vet det, sa Puh ödmjukt.

April 24

- Jag kommer ihåg, att min
morbror sa en gång, att han hade
sett ost, som hade alldeles
samma färg.
Så Puh stack ner tungan
och tog sig en ordentlig slick.
- Jo, sa han, det är det. Inget tvivel om den saken.
Och jag skulle tro, att det är honung
ända ner i botten på burken.

April 25

En dag satt Puh hemma hos sig
och räknade sina honungsburkar,
när det knackade på dörren.
– Fjorton, sa Puh. Kom in! Fjorton.
Eller var det femton? Förargligt.
Nu blev jag alldeles förvillad.

April 26

– Om det är ett surr,
så måste det vara nån som surrar,
och den enda meningen med att
surra som jag kan tänka mig
är för att visa att man är ett bi.

April 27

Så funderade han
en lång stund igen, och så sa han:
– Och den enda meningen med att vara
ett bi, som jag vet, är att göra honung.
Och så reste han sig upp och sa:
– Och den enda meningen med att
göra honung
är att jag ska äta den.

April 28

Och så började han
klättra upp i trädet.
Han klättrade
och han klättrade
och han klättrade,
och medan han klättrade
sjöng han
en liten sång
för sig själv.

April 29

Den lät så här:
Lustigt vad man för
en smula honung gör.
Surr, surr, surr!
undrar just varför?

April 30

Så klättrade
han litet högre…
och så litet högre…
och så ännu litet högre.

Maj 1

BRAK!

– Hjälp! skrek Puh, när han
ramlade ner på en gren
tre meter under honom.
– Jag antar, att det här är
följden av, tänkte han,
när han sa adjö till den
sista grenen, gjorde tre volter
och mjukt föll ner i en
enrisbuske, att det här är
följden av att tycka så
hemskt mycket om honung.

Maj 2

Han kröp fram ur busken,
borstade taggarna från nosen
och började fundera igen.
Den första människa han kom att tänka på
var Christoffer Robin.

Maj 3

– God morgon,
Christoffer Robin,
sa han.
– God morgon,
Nalle Puh, sa du.
– Du har väl inte
händelsevis
en ballong på dig?

Maj 4

Nalle Puh såg sig
omkring för att
se att ingen stod
och lyssnade, satte
tassen för munnen
och viskade:
– Honung.
– Men inte kan man få
honung med ballonger.
– Jag kan det, sa Puh.

– Tror du inte de skulle upptäcka dig under
ballongen? frågade du.

– Kanske och kanske inte, sa Nalle Puh.

Man kan aldrig så noga veta med bin.

Maj 6

Han funderade en stund och sa:

– Jag ska försöka se ut som ett litet svart moln.
Då blir de kanske lurade.

– Då är det väl bäst, att du tar den blå ballongen,
sa du, och så blev det bestämt.

Maj 7

– Vad ser jag ut som?
– Du ser ut som en björn,
som hänger i en ballong, sa du.
– Inte, sa Puh ängsligt,
inte som ett litet svart moln
på en blå himmel?

Maj 8

– Inte precis.
– Nå ja, kanske det ser
annorlunda ut
här uppifrån.
Och, som jag sa,
man kan aldrig
så noga veta med bin.

Maj 9

– Hallå!
– Jag tror, att bina *misstänker* nånting.
–Vad då för nånting?
– Jag vet inte riktigt, men jag känner på mig,
att de är *misstänksamma*.

Maj 10

– Christoffer Robin.

– Ja.

– Har du något paraply
hemma hos dig?

– Jag tror det.

Maj 11

– Tänk om du ville ta hit det
och promenera fram och
tillbaka med det
och så titta upp på mig
alltemellanåt och säga:
"Minsann ser det inte ut,
som det skulle bli regn."
Jag tror, att om du gjorde det,
skulle det gå bättre
att lura bina.

Maj 12

– Bara tänk en sådan fröjd
att vara moln i rymden.
Varje molntapp glad och nöjd
sjunger högt i himlens höjd.

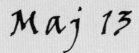

Maj 13

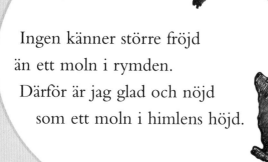

Ingen känner större fröjd
än ett moln i rymden.
Därför är jag glad och nöjd
som ett moln i himlens höjd.

Maj 14

– Christoffer Robin, du måste skjuta
ballongen med din bössa. Har du med dig bössan?
– Ja, det är klart, sa du. Men om jag gör det,
blir ju ballongen förstörd, sa du.
– Men gör du det inte, sa Puh, så måste jag
släppa taget, och då blir *jag* förstörd.

Maj 15

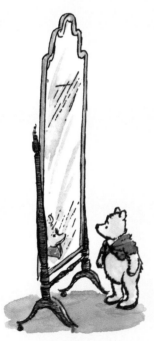

Var björn som ej får gymnastik,
en vetebulle blir han lik.
Vår Teddy Björn är kort och fet,
och det är inte konstigt, det.

Maj 16

Den gymnastik
han får nån gång,
det är ett fall
från en schäslong,
och då går han ej
upp igen.
Han är för lat
att äntra den.

Maj 17

– Och fetma är en sak som gör
att man kan bli på surt humor.
Björn Teddy, detta runda djur,
funderade på sin figur.

Maj 18

– Klockan är nästan elva,
sa Puh glatt.
Du kom alldeles lagom
för en liten godbit
av något slag.

Maj 19

Det var en mycket varm dag,
och han hade en lång väg framför sig.
Han hade inte hunnit mer än halvvägs,
när han började känna sig så underlig.
Det började vid nosen och kröp ner
genom hela honom och ut i fotsulorna.
Det var precis som om något
inuti honom hade sagt:
– Nu Puh, är det tid för en
liten munsbit av något slag.

Maj 20

Puh visste
vad han ville ha sagt,
men som han var en Björn
med Mycket Liten Hjärna,
kunde han inte komma
på de rätta orden.

Maj 21

Nasse tittade upp
och tittade ner igen.
Och han kände sig så fånig
och bedrövlig, att han nästan
beslöt sig för att rymma till sjöss
och bli sjöman…

Maj 22

– Ja, kära lilla Tiger, titta själv efter i skafferiet,
om där finns något du skulle kunna tycka om.
För hon förstod genast, att även om Tiger kunde
förefalla bra stor, så behövde han lika
mycket vänlighet som Ru.

May 23

För jag är en Björn med mycket liten hjärna,
och långa ord besvärar mig.

Maj 24

– För det *är* väl drakar va? sa Puh.
– Det märks ju tydligt på näbben, du!

Maj 25

– Det är rätt, sa I-or. Sjung bara. Ram-ti tiddeli tam ti ta.

Vi går över daggstänkta berg, fallera.

Roa dig du.

Maj 26

– Aha, sa Kanin, som aldrig lät saker komma av sig själva, utan själv gick och hämtade dem.

Maj 27

Det kan vara kul
att bara träffa Ru.
Det kan vara kul
att bara vara Puh.

Maj 28

… och jag tycker allt kan kvitta,
om jag inte blir för tjock
(och det blir ju inte Puh)
av att sitta,
sitta still på sten och stock.

Maj 29

Han tittade
på sin klocka,
som hade
stannat på fem
minuter i elva
för några veckor
sedan.

Maj 30

– Olyckshändelser är konstiga saker.
Man råkar inte ut för dem,
förrän man råkar in i dem.

Maj 31

En dag när Puh var på väg till bron,
försökte han hitta på en vers om tallkottar…
och han fick lust att sjunga en sång.

Juni 1

Han hade nu kommit fram till bron;
och som han inte såg sig för, snavade han på något,
och kotten flög ur hans tass ner i ån.
– Förargligt, sa Puh, när den flöt sin väg under bron,
och han gick för att hämta en ny tallkotte…

Juni 2

– Det var lustigt, sa Puh.

Jag tappade den på andra sidan, sa Puh,

och den kommer fram på den här sidan!

Jag undrar om den kan göra om det?

Och han gick och hämtade flera tallkottar.

Juni 3

Det gjorde den.
Flera gånger
Och detta var början till en
lek som kallades Puhpinnar…
Men nu lekte de med pinnar
i stället för med kottar,
för de var lättare att märka.

Juni 4

Ru trillade i två gånger,
första gången av en
olyckshändelse och andra
gången med flit, för han
fick plötsligt se Kängu
komma från Skogen,
och då visste han att han
måste gå och lägga sig
i alla fall.

Juni 5

Tiger och I-or gjorde sällskap, för I-or ville lära
Tiger hur man vinner i Puhpinnar, vilket man gör
genom att kasta ner pinnarna med en viss knyck.

Juni 6

– Jag kan se min! ropade Ru. Nej, det kan jag inte,
det är nånting annat. Kan du se din, Nasse?
Där är den! Nej, det är det inte.

Juni 7

– Min pinne har bestämt fastnat,
sa Ru. Kanin, min pinne har fastnat.
Har din pinne fastnat, Nasse?
– Det tar alltid längre tid än man tror,
sa Kanin.
– Hur lång tid tror du, att det tar?
frågade Ru.

Juni 8

– Nu kommer den! sa Puh.

– Är du säker på att det är min? pep Nasse förtjust.

– Ja då, för den är grå. En stor grå en.

Nu kommer den. En väldigt stor – stor – grå…

O, nej, det är inte den, det är I-or.

Juni 9

– Jag har fått en idé,
sa Puh till slut, men antagligen
är det inte mycket med den.
– Antagligen inte, sa I-or…

– Nu! sa Kanin.

Puh släppte sin sten. Det plaskade till,
och I-or försvann.

Juni 11

Det var oroliga
ögonblick för
åskådarna på bron.
De tittade
och tittade…

Juni 12

– Å, I-or, vad du är våt, sa Nasse och kände på honom.
I-or ruskade på sig och bad någon förklara
för Nasse vad som händer när man ligger i en å
en bra lång stund.

Juni 13

– Oooo, sa Ru glatt, var det nån som knuffade dig?
– Någon skuttade i mig.
Jag stod just och tänkte – när jag fick ett kraftigt skutt.

Juni 14

– Det gjorde jag verkligen inte.
Jag hade hosta,
och jag råkade vara bakom
I-or, och jag sa:
"Grrrr-oppp-ptschschz."

Juni 15

— Vänner, sa han, kända och okända.
Det är mig en stor glädje, eller kanske jag borde säga,
att det hittills har varit mig en stor glädje att
se er här på min bjudning.

Juni 16

– En smula hänsyn
och litet omtanke om
nästan betyder så
ofantligt mycket.

– Kanin är begåvad,
sa Puh tankfullt.
– Ja, sa Nasse. Kanin är begåvad.
– Jag antar, sa Puh,
att det är därför
han aldrig begriper nånting.

Juni 18

Och nu surrar alla bina,
surrar: Nu ska solen skina,
sommardagarna är fina
sommarn lång.

Juni 19

Kalvarna och korna muar,
turturduvan turr-turr-duar,
medan Puh går runt och puhar
på en sång.

Juni 20

– Hej, Puh, sa Kanin.

– Hej, Kanin, sa Puh
drömmande.

– Har du hittat på visan själv?

– Ja, jag har visst det, sa Puh.
Det har ingenting med
hjärna att göra, fortsatte han
blygsamt, för du vet hur det är,
Kanin, men ibland kommer
det alldeles av sig självt.

Juni 21

Nasse tyckte att de borde ha någon Anledning
att gå och hälsa på allihop...
om Puh kunde komma på någon.

Det kunde Puh.

−Vi ska gå därför att det är Torsdag, sa han,
och vi kan önska dem alla en Glad Torsdag.
Kom nu, Nasse.

Juni 23

– Hallå, Nasse, sa han. Jag trodde du var ute.

– Nej, sa Nasse. Det var du som var ute, Puh.

– Det har du rätt i, sa Puh. Jag visste väl att det var en av oss.

Juni 24

… fastän det var förfärligt gott
att äta honung, så fanns det ett
ögonblick alldeles innan man
började äta den, som var nästan
ännu bättre…

Juni 25

Christoffer Robin skulle lämna dem.
Ingen visste varför han skulle lämna dem,
ingen visste vart han skulle ta vägen
– i själva verket visste ingen hur han visste,
att Christoffer Robin *skulle* resa.

Juni 26

… vad jag tycker mest om är att göra Ingenting.
– Hur gör man Ingenting? frågade Puh,
sedan han funderat på det en lång stund.

Juni 27

– Jo, det är när nån ropar till en,
just när man ska gå ut:
"Vad ska du göra, Christoffer Robin?"
och man säger: "Å, just ingenting",
och sen går man och gör det.
– Jaså, sa Puh.

Juni 28

– Är det mycket Fint
att vara en Ridare, som du sa?
– En vad för något?
sa Christoffer Robin...
– På en häst, förklarade Puh.
– En Riddare?
– Skulle en Björn kunna bli det?

Juni 29

– Ja, det är självklart, sa Christoffer
Robin. Jag ska dubba dig.
Och han tog en käpp, slog Puh på
axeln och sa: Stig upp, Nalle von Puh,
du den trognaste av alla mina
Riddare!

Juni 30

– Här – är – vi – nu,
sa Kanin mycket långsamt
och eftertryckligt,
allesammans,
och så plötsligt vaknar
vi en vacker dag –
och vad finner vi?
Ett främmande djur ibland
oss. Ett djur, som bär
omkring sin familj
i en ficka.

Juli 1

−Tänk om jag skulle bära *min* familj
med mig i *min* ficka, hur många fickor
skulle jag då behöva?
– Sexton, sa Nasse.
– Sjutton blir det väl? sa Kanin.
Och så en för näsduken – det blir aderton.
Aderton fickor i en kostym!

Juli 2

– Det är bara en sak, sa Nasse och flyttade nervöst på sig.
Jag talade med Christoffer Robin, och han sa,
att en Kängu i allmänhet anses vara ett av de
vildare djuren.

Juli 3

– Hör nu på allesammans,
sa Kanin, när han slutat skriva.
Och Puh och Nasse satt och lyssnade med gapande mun.

Juli 4

Detta är, vad Kanin läste upp:
FÖRSLAG TILL BABY RUS INFÅNGANDE

§ 1. *Allmänna anmärkningar.* Kängu springer fortare
än någon av oss, till och med mig.

§ 2. *Flera allmänna anmärkningar.* Kängu tar aldrig
sina ögon från Baby Ru, utom när hon
har stoppat in honom i fickan
och knäppt igen.

Juli 5

§ 3. *Därför.* Om vi ska kunna fånga Baby Ru,
måste vi ha Långt Försprång, för Kängu springer
fortare än någon av oss,
till och med mig. (Se § 1.)

§ 4. *En tanke.* Om Ru hade hoppat ur Kängus
ficka och Nasse hoppat i, skulle Kängu
inte märka någon skillnad, därför att
Nasse är ett mycket litet djur.

§ 5. Liksom Ru.

§ 6. Men då måste Kängu först se åt ett annat håll, så att hon inte märker, när Nasse hoppar in.

§ 7. Se § 2.

§ 8. *Ännu en tanke.*
Om Puh talade mycket
ivrigt med henne,
skulle det kunna *tänkas*,
att hon ett ögonblick såg
åt ett annat håll.

Juli 7

§ 9. Och då skulle jag kunna springa min väg
med Ru.

§ 10. Fort.

§ 11. *Och Kängu skulle inte upptäcka*
skillnaden
förrän efteråt.

Juli 8

Nasse blev så förtjust vid tanken på att vara användbar, att han alldeles glömde bort att vara rädd. Och när Kanin fortsatte med att säga, att Kängur bara var farliga om vintern och att de annars var vänligt sinnade, kunde han knappast sitta stilla…

Juli 9

– In med dig nu, Ru,
och ner i Kängus ficka hoppade Nasse, och bort
skuttade Kanin med Ru i famnen
så fort han förmådde.

Juli 10

Så snart Kängu hade knäppt upp fickan såg hon,
vad som hade hänt.

Juli 11

– Jag är inte så säker på, sa Kängu eftertänksamt,
att det inte vore skönt med ett kallt bad i kväll.
Vad tycker du själv, lilla Ru?

Juli 12

– Aj! skrek Nasse. Låt bli! Jag är Nasse!

– Gapa inte, lilla vän, sa Kängu, för då får du

tvål i munnen. Se där!

Vad var det jag sa?

Juli 13

Aldrig hade Puttefnask Nasse sprungit så fort,
som han gjorde då, och han slutade inte springa,
förrän han var nästan hemma.
Men när han hade en trettio meter kvar,
stannade han och rullade hem resten av vägen…

Juli 14

– Christoffer Robin,
Christoffer Robin, skrek Nasse,
tala om för Kängu vem jag är!
Hon säger hela tiden, att jag är Ru.
Säg, inte är jag väl Ru?

Juli 15

– Jag visste nog,
att det inte var Nasse, sa Kängu.
Jag undrar vem det kan vara?
– Kanske det är någon av Puhs släktingar,
sa Christoffer Robin.
– Jag kommer att kalla
honom… Puttefnask.

Juli 16

– Det är mig Christoffer
Robin litar på. Han tycker om Puh och
Nasse och I-or, och det gör jag med,
men de har ingen Hjärna.
Ingen att tala om.

Juli 17

– Ni kan gå och plocka kottar åt mig, sa Kängu
och gav dem en korg.
De gick till de Sex Tallarna och kastade kottar på varandra,
tills de glömt bort, varför de kommit dit…

Juli 18

… det finns tolv honungsburkar i mitt skafferi,
och de har ropat på mig i timmar.

Juli 19

… plötsligt befann Puh sig framför sin egen dörr igen. Och klockan var elva. Vilket var tid-för-en-liten-munsbit-av-något-slag…

Juli 20

– Hej, Nasse, sa Puh.

– Hej, Puh, sa Nasse ...

– Jag planterar ett hållon, Puh, för att det ska växa upp till en stor ek, så jag får fullt med hållon alldeles utanför stora dörren och inte behöver gå miltals, förstår du, Puh?

Juli 21

– Jaha, sa Puh, om jag planterar en
honungskaka utanför mitt hus,
så kommer den att växa till en bikupa.
Det var Nasse inte riktigt säker på.

Juli 22

– Eller en bit
honungskaka,
sa Puh,
för att inte vara
slösaktig.

Juli 23

– Dessutom, Puh, är det mycket svårt att plantera,
om man inte vet hur det går till,
sa han; och han lade ollonet i hålet
som han grävt, täckte över det med
jord och hoppade på det.

Juli 24

– Jag vet precis, sa Puh,
för Christoffer Robin
gav mig ett jalikefrö och jag planterade det,
och jag kommer att få jalikor
på hela framsidan av huset.
– Jag trodde det hette nejlikor, sa Nasse…

Juli 25

Piddel-i, Piddel-i, Piddel-i Pej.
Blå är den ena, den andra sa nej.
Frågar du gåtor, så svarar jag dej:
Piddel-i, Piddel-i, Piddel-i Pej.

Juli 26

– Är sagan slut nu? frågade Christoffer Robin.
– Ja, den här sagan. Men det finns fler.
– Som handlar om Puh och mig?
– Och Nasse och Kanin och er allihop.

Juli 27

Därför hade hon skickat ut Ru och
Tiger med var sitt smörgåspaket;
på Rus var det ost och på Tigers
maltextrakt.

Nasse tog tag i Puhs arm,
ifall Puh skulle vara rädd.
– Är det något av de Farliga djuren? sa han
och tittade bort. Puh nickade.
– Det är en Jagular, sa han.

– Puh, ropade han. Det är bestämt Tiger och Ru?

– Ja, det är det, sa Puh. Jag trodde det var en Jagular
och en Jagular till.

Juli 30

Och Tiger kan inte klättra ner, för hans svans är i vägen,
bara upp, och Tiger glömde det när han började
klättra, och han kom inte ihåg det förrän nu.

Juli 31

– Hoij! skrek han när han
släppte taget.
– Passa på!
ropade Christoffer Robin
till de andra.
Det blev ett brak…

Augusti 1

– Tiger är bra, i *själva verket,* sa Nasse lättjefullt.

– Visst är han det, sa Christoffer Robin.

Augusti 2

– Jag skulle bara vilja veta, sa Puh ödmjukt.
Så att jag kan säga till mig själv:
Jag har fjorton honungsburkar kvar.
Eller femton, vilket det nu är.
Det är på något vis uppmuntrande.

Augusti 3

... och så småningom
kom de till en
förtrollad plats
högst uppe i skogen,
där sextio
nånting träd
stod i ring ...

Augusti 4

Det var en dåsig sommareftermiddag. Skogen var full
av milda susningar, som alla tycktes säga till Puh:
– Hör inte på Kanin, hör på oss!

Augusti 5

– Jag kommer med och ser på, sa Christoffer Robin.
Så gick han hem med Puh och såg på en bra stund…

Augusti 6

– Jag har den äran
att gratulera, ropade Puh
och glömde
att han redan förut
hade sagt det.
– Tack, Puh,
jag har hört det,
sa I-or dystert.

Augusti 7

– Å, sa Puh
och satte sig ner på en sten
och tänkte så mycket han orkade.
Det lät precis som en gåta,
tyckte han, och han hade aldrig
varit styv på att gissa gåtor,
eftersom han var en Björn
med mycket liten hjärna.

Augusti 8

… han gjorde sin
avmagringsgymnastik
framför spegeln. *Tra-la-la,
tra-la-la*, när han sträckte på sig,
så mycket han kunde, och så
Tra-la-la, tra-la – o, hjälp! – la,
när han försökte nå ner
till tårna…

Augusti 9

– Puh, sa Nasse förebrående,
har du inte hört på,
vad Kanin har sagt?
– Jag hörde på,
men jag hade lite ludd i örat.
Skulle du vilja säga om det igen,
snälla Kanin?

Augusti 10

Denna plats
där solen finns
älskar Puh ömt
och tänker där
till dess han minns
det som han
hade glömt.

Augusti 11

Solen värmde så härligt ... att Puh nästan beslöt sig
för att fortsätta att vara Puh Mitt i Ån resten av dagen.

Augusti 12

Ugglan satt och
slickade på sin blyertspenna
och undrade, hur man
egentligen stavar
"gratulationer".

Augusti 13

Han kröp fram ur busken,
borstade taggarna från nosen
och började fundera igen.

Augusti 14

Ugglan bara pratade på
och använde längre och längre ord,
tills han slutligen kom tillbaka
till samma punkt där han hade börjat.

Augusti 15

   – Det var… Jag undrar… Saken är den… Hm, Kanin,
du har väl inte händelsevis reda på, hur Nordpolen ser ut?
   – Hm, sa Kanin och strök sina mustascher,
det var en fråga, det.

Augusti 16

– Puh har hittat
Nordpolen,
sa Christoffer
Robin.
Är det inte härligt?
Puh tittade blygsamt
ner i marken..

Augusti 17

… och Ugglan
berättade för Kängu en historia
full av långa ord som
Encyklopedi och Rhododendron,
och Kängu hörde inte alls på.

Augusti 18

… man kan inte låta bli att högakta en, som kan
stava till Tisdag, även om han inte stavar det rätt;
men att kunna stava är inte det viktigaste.

Augusti 19

– Ni kommer att tycka om Uggla.
Han flög förbi för en tid sen och fick syn på mig.
Han sa ingenting direkt, om ni förstår vad jag menar,
men han visste att det var jag.

Augusti 20

– Kanin, sa Puh för sig själv. Jag tycker om att prata med Kanin…
Han använder inte långa, svåra ord som Uggla. Han använder korta,
lätta ord, som "Vill du ha mat, Puh?" och "Ta för dig, Puh".

Augusti 21

– Gjort vad med den? sa Puh.
– Organiserat den. Det betyder –
nå ja – det är det som man gör
med en Jakt, när inte alla letar på
samma plats på en gång.

Augusti 22

– Är Nasse också organiserad?

– Det är vi allihop, sa Kanin och begav sig i väg.

Augusti 23

I-or viftade fram och tillbaka med svansen...
– Vad alla trängs i den här skogen! Det finns inget
andrum. Aldrig i hela mitt liv har jag sett djur,
som kan breda ut sig så, och alla på fel ställe.

Augusti 24

– Snälla du, se efter.
För Puh har inte
mycket förstånd,
han skulle kunna hitta
på något dumt,
och jag tycker
så mycket om honom,
Uggla.

Augusti 25

– Ska vi leta efter drakar? sa jag till Puh.

Och Puh han sa:

– Ja, det gör vi du!

Vi gick till ån och där fanns det sju.

– För det är väl drakar, va? sa Puh.

Augusti 26

– Ska vi skrämma dem, du?

– Ja visst, det gör vi, sa Puh.

- Jag är inte rädd, sa jag till Puh.

Jag höll tag i hans tass och ropade:

– Buh!

Augusti 27

Nasses farfar hade fått två namn,
ifall han skulle tappa bort det ena
– Privat hette han efter en farbror
och Område efter Privat.

Augusti 28

Nasse upplever en hel massa saker som Puh går miste om. Man kan ju, till exempel, inte ta med sig Puh till skolan utan att alla lägger märke till honom. Men Nasse är så liten att han utan vidare kan glida ner i ens ficka.

Augusti 29

– Hej I-or! sa Ru.
I-or nickade dystert till honom.
– Ni ska få se, att det blir regn snart, sa han.

Augusti 30

– Utan Puh, sa Kanin högtidligt…
skulle äventyret vara en omöjlighet.

Du verkar så ledsen, I-or.
– Ledsen? Varför skulle jag vara ledsen?
Det är ju min födelsedag.
Den lyckligaste dagen på hela året.

September 1

Det blev
för mycket för Puh…
För han kände, att han var tvungen
att ge I-or en present,
vilken som helst, nu genast,
så kunde han ju alltid
skaffa en finare efteråt.

September 2

– Jag ska ge honom en praktisk burk att
ha saker i, och jag tänkte fråga dig…
– Du borde skriva "Hjärtliga
gratulationer" på den.
– Just det tänkte jag be dig göra, sa Puh.
För min stavning är ruskig.
Jag stavar egentligen bra, men det ruskar,
så att alla bokstäver kommer på fel plats.

September 3

Och så skrev Ugglan ...
HÄTILA RAGULPR
PÅ FÅTSKLIABEN
Puh såg på med beundran i blicken.
– Jag skriver rätt och slätt
"Hjärtliga gratulationer",
sa Ugglan likgiltigt.

September 4

– Jag har den äran att gratulera, ropade Puh
och glömde att han redan förut hade sagt det.
– Tack, Puh, jag har hört det, sa I-or dystert.

September 5

Under tiden hade Nasse gått
tillbaka till sitt hus och hämtat
I-ors ballong. Och nu sprang
han och tänkte på
hur förtjust I-or skulle bli,
och såg sig inte för alls…
och plötsligt satte han foten
i ett kaninhål
och trillade pladask
på nosen.

September 6

PANG!!!???XXX!!!

Där låg Nasse och undrade, vad som hade hänt.

September 7

– jag – jag – å, I-or, ballongen sprack!

– Min födelsedagsballong?

– Ja, I-or, sa Nasse och snörvlade lite.

September 8

– Med – med många
lyckönskningar
på födelsedagen.
Och han gav I-or
den lilla fuktiga trasan.
– Är det den här? sa I-or
en smula förvånad.

September 9

– Det är en praktisk burk, sa Puh. Var så god.
Och det står "Hjärtliga gratulationer och
lyckönskningar från Puh" skrivet på den.

September 10

När I-or fick se burken blev han mycket förtjust.
– Nej men, sa han, jag tror min Ballong
är precis lagom stor att lägga i burken!
– Ja sannerligen! sa Nasse, och den går att ta ut!

September 11

Men I-or hörde inte på.
Han tog ut ballongen ur burken
och stoppade in den igen,
lycklig som aldrig förr ...

September 12

– En halvtimme, sa Uggla
och gjorde det bekvämt för sig.
Då hinner jag precis avsluta
historien om min
farbror Robert…
Puh slöt ögonen.

September 13

… när han plötsligt fick se Nasse sitta i hans
egen bästa stol stod han bara och kliade sig i huvudet.

September 14

För Poesi och Visor
är inte saker man hittar,
utan det är saker som hittar en,
och det enda man kan göra
är att gå där
de kan få tag på en.

September 15

Det är lustigt att tänka, om Björnen var Bi,
han hade i stubbarna sitt skafferi.
Och om det så vore (att Biet var Björn),
så slapp man att klättra och få sig en törn.

September 16

– Hallå där! sa Tiger, och det lät,
som om han var mycket nära,
och Nasse skulle ha hoppat högt,
om inte Puh tillfälligtvis råkat sitta på
det mesta av honom.

September 17

Kanin knuffade på Puh, och Puh såg sig om efter Nasse
för att knuffa på honom men kunde inte hitta honom,
och Nasse fortsatte att andas in våt ljung så tyst han kunde
och kände sig mycket modig och upprymd.

September 18

– Vad är två gånger elva?
sa jag till Puh.
(– Två gånger *vad*?
han frågade då.)
– Jag *tror* att det borde bli
tjugotvå.
– Just vad jag också tror,
sa Puh.

September 19

– Det är överenskommet, sa Kanin,
att vi alla ska underteckna den
och sedan gå med den till Christoffer Robin.
Och så blev den undertecknad PUH…

Pooh

September 20

... GUGLA, ...

September 21

... NASSE, ...

Piglet

September 22

... I-OR, ...

eOR

September 23

... KANIN, ...

September 24

.... KÄNGU, ...

September 25

… PLUMP, …

September 26

… KLUDD
och så gick de alla till Christoffer Robins hus
med den.

September 27

– Nasse, jag har beslutat nånting.

–Vad har du beslutat, Puh?

– Jag har beslutat att fånga en Heffaklump.

September 28

Det artade sig att bli en av Kanins arbetsamma dagar.
Strax han vaknade kände han sig så betydande,
som om allting berodde på honom.

September 29

Det var en riktig Generaldag, en sådan dag
då alla sa: "Ja, Kanin" och "Nej, Kanin"
och väntade på order från honom.

September 30

... han tyckte det tog
timmar, innan han fick
dem i lä av Sjumilaskogen
och de stod rätt upp igen
för att en smula ängsligt
lyssna till stormens tjut
i trädtopparna.

Oktober 1

– Antag att ett träd föll ned, Puh, just när vi var under det?

– Antag att det inte gjorde det, sa Puh
efter moget övervägande.

Nasse kände sig lugnad av detta…

Oktober 2

Den delen av rummet där Puh satt började
långsamt höja sig, och hans stol gled ned mot
Nasses. Klockan kanade sakta längs hyllan över
spisen och samlade upp vaser på vägen...

Oktober 3

I rummets ena hörn började
bordduken röra på sig.
Sedan snodde den ihop sig till en boll
och rullade över rummet.
Sedan hoppade den upp och ned
ett par gånger och stack fram två öron.

Oktober 4

– Puh, sa Nasse ängsligt.

– Ja? sa en av stolarna.

– Var är vi?

– Jag vet inte riktigt, sa stolen.

Oktober 5

— Hör du Nasse, sa Uggla och lät mycket uppretad,
var är Puh?

— Jag vet inte riktigt, sa Puh.

Oktober 6

– Puh, sa Uggla strängt,
var det du som gjorde det?
– Nej, sa Puh ödmjukt,
det tror jag inte.

Oktober 7

– Jag tror det var vinden,
sa Nasse.
Jag tror ditt hus har blåst ned.
– Har det? Jag trodde det var Puh.
– Nej, sa Puh.

Oktober 8

– Om det var vinden,
sa Uggla eftertänksamt,
då är det inte Puhs fel.
Ingen skuld vidlåder honom.
Och han flög upp för att
beskåda sitt nya tak.

Oktober 9

… om vi bara kan få in Nasse i brevlådan,
skulle han kunna klämma sig igenom öppningen
där breven kommer, och klättra ned från trädet
och hämta hjälp.

Oktober 10

Nasse sa hastigt, att han hade blivit större på sista tiden...
och Uggla sa, att han hade låtit göra sin brevlåda större
på sista tiden, ifall han skulle få större brev,
så kanske om Nasse försökte...

Oktober 11

Han klämde
och han klam
och med ett slutligt klum
var han ute.

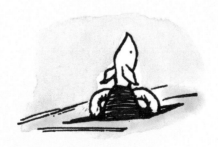

Oktober 12

– Allt väl, ropade han genom brevlådan.
Ditt träd har blåst omkull, Uggla,
och det ligger en gren
för dörren ...

Oktober 13

Här ligger nu ett fallet träd,
som stod där ända tills det föll
med väldigt brak till marken ned.
Blott det som ej gick sönder höll,
och Ugglas hus föll ned på sned.

Oktober 14

De hade ett rep och
hissade ner Ugglas
stolar och tavlor
och saker ur det
gamla huset…

– Du behöver väl inte den här
gamla disktrasan mera, säg?…
Uggla ropade förtretad tillbaka:
– Det gör jag visst!…
och det är inte en disktrasa,
det är min schal.

Oktober 16

O, tappre Nasse (NASSE)! Hej!
Säg darrade väl Nasse? Nej!
Men tum för tum han klämde sej
igenom luckan märkt med BREV,
för jag såg själv, hur ut han klev.

Oktober 17

– Å, sa Nasse.

För jag – jag trodde, att jag darrade litet.

Alldeles i början.

Och det står "Säg darrade väl Nasse? Nej!"

Det var därför.

Oktober 18

– Du darrade bara invärtes,
sa Puh, och det är det
modigaste sättet
att inte darra,
som finns för ett
mycket Litet Djur.

Oktober 19

Nasse suckade av lycka
och började fundera
över sig själv.
Han var *Modig*…

Oktober 20

– Bry dig inte om I-or, viskade Kanin till Puh,
jag talade om alltsammans för honom i morse.

Oktober 21

… all Poesi i Skogen har skrivits av Puh,
en Björn med behagligt sätt
men alldeles förbluffande brist på hjärna.

Oktober 22

Mina droppar väntar på
"Klara… färdiga… och gå!"

oktober 23

Jag vid fönstret
står och ser.
Vem ska komma
fortast ner?

Oktober 24

– Ska jag också se efter? sa Puh, som började känna sig litet klockan-elvig.

Oktober 25

– Ser du, min mening var,
förklarade han
medan han gjorde
en kullerbytta
och slog mot en gren
tio meter längre ner...

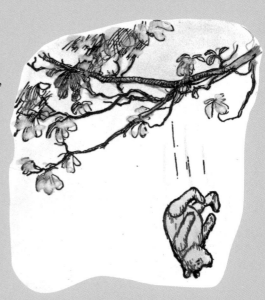

Oktober 26

En gång för mycket,
mycket länge sen,
ungefär så där i fredags,
bodde Nalle Puh
alldeles ensam
i skogen
under namnet
Sanders.

Oktober 27

– Tror du, att du skulle kunna luta dig mot mig,
för jag drar hela tiden så hårt, att jag ramlar baklänges.

Oktober 28

"Meddelande ett möte med allesammans skall
mötas vid Huset vid Puhs Hörna för att skriva en
skrivelse På Begäran Håll Till Vänster
undertecknat Kanin."

Oktober 29

– Det är ditt eget fel,
I-or. Du kommer
aldrig och hälsar på
nån av oss. Du bara
håller till på detta enda
ställe i skogen och
väntar på att vi ska
komma till dig.
Varför går du inte
till *dem* ibland?

oktober 30

– Hetsa mig inte, sa I-or och reste sig långsamt.
Nu-så-a mig inte.

Oktober 31

… när man är en björn med Mycket Liten Hjärna
och tänker ut saker, så får man ibland se att en idé
som förefaller att vara riktigt idéaktig inne i hjärnan…

November 1

Dikten, som jag nu ska läsa för er,
är författad av I-or, mig själv, en stilla stund.

November 2

Christoffer Robin reser
åtminstone vad jag tror.
När och var?
Ingen vet.
Men han reser,
jag menar far
(för att rimma på *"var"*)…

November 3

… är vi ledsna för det?
(*för att rimma på "vet"*)
Ja.
Mycket.
(*Jag har inte fått något rim på*
tror i andra raden än.
Dumt.)

November 4

Det här är faktiskt svårare
än jag berett mig på.
Så
(*verkligt bra*)

November 5

(*Nu går det visst
på tok igen*)
Nå ja, i alla fall
breder vi ut
stora famnen
emot dig.
SLUT.

November 6

– Om nån vill applådera,
sa I-or när han hade läst upp detta,
så är rätta stunden inne nu.

Alla applåderade.
– Tack, sa I-or. Lika kärt som oväntat,
även om det var en smula glappande i klappandet.

November 8

– Den var mycket bättre än mina,
sa Puh beundrande, och han tyckte det verkligen.

November 9

– Ja, förklarade I-or blygsamt,
det var meningen.

November 10

– Tyst! sa Christoffer Robin och vände sig till Puh.
Vi kommer strax till ett Farligt Ställe.

November 11

Om jag var en björn,
en stor stöddig björn,
då fick det gärna blåsa
i vartendaste hörn.

November 12

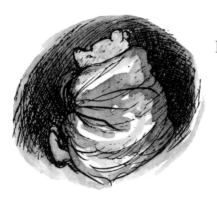

Då fick det gärna regna
och snön falla tjock
– jag skule gå insvept
i en stor pälsig rock!

November 13

… nu är jag sex, och allt kan jag klara,
så jag tror att sex vill jag alltid vara!

November 14

... jag kan leka precis vad jag själv har lust,
jag kan skratta precis som jag själv har lust,
för ingen är här hos mej.

November 15

Det var en idealisk morgon att skynda i väg till Puh
och säga: "Jaha, då går jag väl och underrättar Nasse"

November 16

Kanin kom fram till dem,
såg viktig ut,
nickade till Nasse och sa:
– Se I-or, med en röst,
som om han tänkte säga adjö
om ungefär två minuter.

November 17

– Jag tycker inte om allt det där blaskandet, gruffade I-or. Alla möjliga moderna påhitt som tvätta-sig-bakom-öronen och sånt.

November 18

– De atmosfäriska förhållandena har varit mycket otillfredsställande på sista tiden, sa Ugglan.

– Vad för något?

– Det har regnat, förklarade Ugglan.

– Skulle du inte vilja vara så rysligt
snäll och berätta en saga för
Nalle Puh?
– Det kan jag väl göra, sa jag.
Vad för slags sagor tycker han om?
– Sagor om honom själv.
Han är en sån björn.

November 20

På måndan fram mot klockan fem,
när jag till något mål går hem,
jag undrar trött i varje lem,
om dem är dom och dom är dem.

November 21

På tisdan när det skiner skönt
och allt är sommarlikt och grönt,
jag undrar, men jag undrar helst
om vilkensom är vemsomhelst.

November 22

På onsdan när det fryser kallt,
och snö det ligger överallt,
jag undrar hur och såsom att,
om det är ditt och ditt är datt.

November 23

På torsdan när jag vaknat glad
och fått mitt varma torsdagsbad,
jag undrar när jag drar åstad
om vad är vem – vem är då vad?

November 24

På fredan...

– Ja, inte sant? sa Kängu, som inte orkade höra,
vad som hände på fredagen.

November 25

Och så gnolade han den,
medan han glatt raskade
i väg och undrade,
vad alla andra hade för sig
och hur det skulle kännas
att vara någon annan,
när han plötsligt kom till
en sandbank, som det var
ett stort hål i.

November 26

Men så fick han en idé,
och jag tycker, att för
en Björn med Mycket
Liten Hjärna
var det en god idé.

November 27

– Det är ingen Konst för ett Hoppande Djur
som Kängu, men det är en annan sak
för ett Simmande Djur som Tiger.

November 28

– Vattenståndet har nått en
rekordartad höjd.
– Att va, sa du?
– Det finns en hel del
vatten häromkring,
förklarade Ugglan.

November 29

Staren sig i holken rustar,
alla fåglar sig förlustar,
kvittrar, sjunger.
Därför pustar Puh sin sång.

November 30

Ett ögonblick senare blev dagen i hög grad besvärlig för
Puh, som inte såg var han gick och plötsligt
klev på – en del av Skogen som av misstag
hade kommit bort ...

December 1

– Jag tycker, sa Puh, jag tycker att vi går till Puhs Hörna
och hälsar på I-or, för kanske hans hus har blåst omkull…

December 2

– Låt oss gå och hälsa på allihop, sa Puh. För när man har
gått miltals i blåsten och plötsligt går in i nåns hus …
då är det vad jag kallar en trevlig dag.

December 3

Ty fastän Ugglan var vis på
många sätt och kunde
läsa och skriva och stava sitt
eget namn GUGLA, gick det
i alla fall alldeles på tok med
besvärliga ord som
MÄSSLING eller
ROSTAT BRÖD.

December 4

– Det är ju Nasse! ropade
Puh ivrigt. Var är du?
– Under, sa Nasse med en
tillplattad röst.
– Under vad?
– Dig, pep Nasse. Res dig!

December 5

... och sedan Nasse
hade satt sig igen, för att
han inte visste hur
kraftig vinden var,
och Puh hade hjälpt
upp honom på nytt,
traskade de i väg.

December 6

Två små björnar bodde på ett fjäll,
den ena var stygg och den andra var snäll.
Snälla björn kunde sitt två gånger ett,
men stygga björn använde aldrig servett.

December 7

Har han skrivit ett brev och talat om hur trevligt
han hade och hur ledsen han var att behöva gå så snart?
Det trodde Christoffer Robin inte att han hade gjort.

December 8

– Tigrar är aldrig ledsna länge, förklarade Kanin.
De kommer förvånansvärt fort över det.
Jag frågade Uggla för att vara alldeles säker,
och han sa, att de alltid kommer över det väldigt fort.

December 9

En soldat vill jag ha
(en röd smal en)
som trummar på trumma och står i givakt.

December 10

– Jag nös inte alls.

– Jo, det gjorde du, Uggla?

– Jag sa så här: Först *skissera*…

– Nu nös du igen, sa Puh förebråande.

December 11

– Men I-or, sa Puh bekymrad, vad ska vi – jag menar,
hur ska vi – tror du vi…
– Ja, sa I-or. Något av det där blir utmärkt. Tack, Puh.

December 12

– Jag vill visst inte ha sagt att det inte blir en
Olyckshändelse nu, Nasse. Olyckshändelser är konstiga saker.
Man råkar inte ut för dem, förrän man råkar in i dem.

December 13

Han skyndade sig
tillbaka hem; och hela
vägen tänkte han så
mycket på sitt gnol,
som I-or skulle
få höra …

December 14

– Och sedan går vi ut, Nasse,
och sjunger min sång för I-or.
– Vilken sång, Puh?
– Den som vi ska sjunga för I-or, förklarade Puh.

December 15

Vinden hade mojnat, och snön, som tröttnat på att
rusa runt i ring för att försöka hinna fatt sig själv,
singlade sakta ned, tills den hittade någon plats att
slå sig till ro på, och ibland var den platsen Puhs
näsa och ibland inte …

December 16

... och i ett litet nafs hade Nasse fått en vit
halsduk om halsen och kände sig mera snöig
bakom öronen, än han någonsin hade gjort förr.

December 17

– Uggla, sa Kanin kort och gott, du och jag har Hjärnor.
De andra har bara grått ludd. När det fordras,
att någon i skogen tänker – när jag säger tänker,
så menar jag tänker – så måste du och jag göra det.

December 18

– Men det är ingen mening med att gå hem
och öva den, för det är en utomhussång,
som måste sjungas när det snöar.

December 19

Snön vräker
NER – tiddelipom
alltmer ju
MER – tiddelipom
alltmer ju
MER – tiddelipom
det
snöar.

December 20

Och nästa
VÅR – tiddelipom
om bra det
GÅR – tiddelipom
i mina
TÅR – tiddelipom
det töar.

December 21

– Tiddeli vad? sa Nasse.

– Pom, sa Puh.

Det satte jag dit för
att göra det mera gnoligt.

December 22

– Och vi ska kalla det Puhs Hörna. Och vi ska
bygga ett I-or-hus av pinnar vid Puhs Hörna åt I-or.
– Det fanns massor av pinnar på andra sidan skogen,
sa Nasse.

December 23

– Tack, Nasse, sa Puh.
Det du sa just nu kommer
att vara oss till stor hjälp,
och för den saken skulle
jag kunna kalla platsen
PuhochNasses Hörna,
om inte Puhs Hörna
lät bättre…

December 24

— Där ser man vad som kan åstadkommas om man
anstränger sig en smula, sa I-or. Förstår du det, Puh?
Förstår du det, Nasse? Först Eftertanke
och sedan Hårt Arbete.

December 25

– God dag, I-or, sa Christoffer Robin… Hur mår du?
– Det snöar alltjämt, sa I-or dystert.
– Ja, det gör det.
– Och är kallt.
– Är det?
– Ja, sa I-or.

– Men hur som helst, sa han och ljusnade en smula,
har vi inte haft nån jordbävning på sista tiden.

December 26

Jag vet inte hur det kommer sig, Christoffer Robin,
men detta med snön… det är inte så överdrivet varmt
på min plats omkring klockan tre på morgonen
som somliga tycks tro.

December 27

… men om det fortsätter att snöa en sex veckor
eller så kommer nån av dem att säga till sig själv:
"I-or kan inte vara överdrivet varm omkring klockan
tre på morgonen." Och sen kommer de ut.
Och då blir de ledsna.

December 28

−Vi har grejat vårt H u s, sjöng den brummande rösten.
− Tiddelipom, sjöng den pipiga.
− Ett förtjusande H u s…
− Tiddelipom…
− Om det bara var M i t t…
− Tiddelipom…

December 29

När de kom runt
hörnet, stod I-ors hus
där och såg helt
inbjudande ut.
– Där ser du,
   sa Nasse.
– Både invändigt
   och utvändigt,
   sa Puh stolt.

December 30

– I högsta grad anmärkningsvärt, sa han. Det är mitt hus, men jag byggde det där jag sa, så det måste ha blåst hit med vinden. Och vinden har blåst det rätt över skogen och blåst ner det här, och här står det lika fint som förut. Faktum är att det är bättre.

– Mycket bättre, sa Puh och Nasse på samma gång.

December 31

– Och Puh, lova att du inte glömmer bort mig.
Aldrig. Inte ens när jag blir hundra år.
Puh tänkte en stund.
– Hur gammal är jag då?
– Nittionio. Puh nickade.
– Jag lovar, sa han.